目　录

星期一

1.写一写：

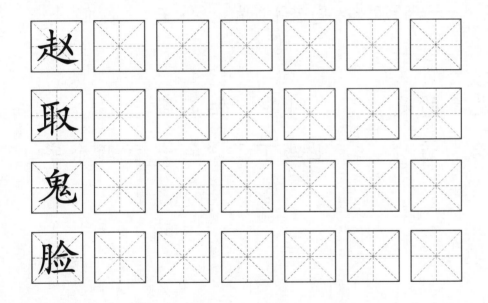

赵

取

鬼

脸

2.在下列加点字的正确读音上打"√"：

（1）第一个发言的是赵龙同学。

A.zào　　B.zhào　　C.zòu　　D.shào

（2）我的名字是爷爷取的。

A.qǔ　　B.qǐ　　C.xǔ　　D.qù

（3）他亲热地叫我"小鬼"。

     A.guǐ   B.guī   C.guí   D.guì

（4）他向大家做了个鬼脸。

     A.lián   B.liǎn   C.nián   D.niǎn

3.读课文，填空(tián)：

（1）今天_____，我们上了_____的中文课。

（2）我们班_____的同学是新同学。今天，我们大家来_____一下儿。

（3）第一个发言的是_____同学，他面带_____，走上讲台，在_____上写下了"____"两个字。

4.照例子填一填(lì tián tián)：

我们班	三分之一	的同学是新同学。

2

5.照例子写句子：

例：学期　了　开始　新

　　新学期开始了。

（1）我们　中文课　上了　有趣　一堂　的

_____

（2）我　自己　龙　传人　是　永远　的　忘记　不会

_____

（3）掌声　教室　响起　一片　了　里

_____

6.读句子，用加点的词语造句：

（1）第二个发言的是个个子瘦小的男同学。

_____

（2）我们班三分之一的同学是新同学。

_____

（3）我们大家来自我介绍一下儿。

_____

1.写一写：

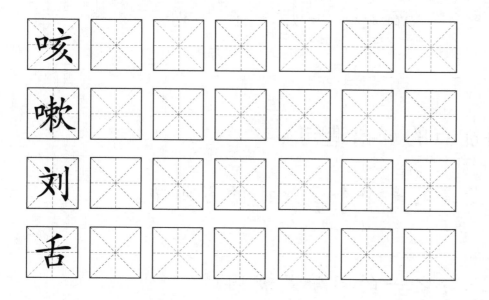

2.写出下列字的部首：

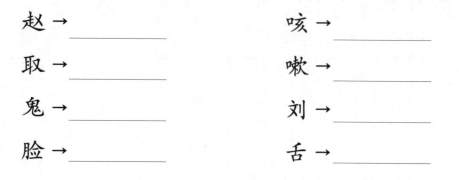

赵 → _____   咳 → _____

取 → _____   嗽 → _____

鬼 → _____   刘 → _____

脸 → _____   舌 → _____

3．比一比，再组词语：

```
┌ 赵（    ）    ┌ 取（    ）    ┌ 刘（    ）
└ 赶（    ）    └ 助（    ）    └ 划（    ）

┌ 脸（    ）    ┌ 咳（    ）    ┌ 舌（    ）
│ 险（    ）    │ 该（    ）    │ 苦（    ）
└ 验（    ）    └ 刻（    ）    └ 合（    ）
```

4．读课文，判断句子，对的打"✓"，错的打"✗"：

（1）今天下午，我们上了一堂有趣的中文课。（   ）

（2）我们班四分之一的同学是新同学。（   ）

（3）赵龙是龙年出生的。（   ）

（4）刘小康是个个子瘦小的男同学。（   ）

5．读句子，用句中加点的词语造句：

（1）我永远不会忘记自己是龙的传人。

_____

（2）他一走到讲台上，就向大家做了个鬼脸。

_____

（3）我生下来非常瘦小，所以爷爷就给我取名叫"小小"。

（4）爸爸妈妈希望我健康成长。

6.朗读课文。

1.写一写：

轮						
幸						
福						

2.读拼音，写词语：

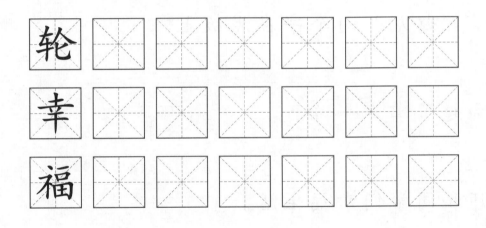

xìngfú   zìwǒ   hēibǎn

_____ _____ _____

késou   shétou   guǐliǎn

_____ _____ _____

3.照例子填空：

例：一排房屋

_____ 中文课　　　_____ 掌声

_____ 牛　　　　　_____ 话

_____ 鬼脸　　　　_____ 咳嗽

4.改病句：

（1）五分钟每个同学介绍。

_____

（2）他写下了"赵龙"两个字在黑板上。

_____

（3）教室里响起了掌声一片。

_____

（4）祝愿老师和同学们幸福生活。

_____

5.读课文，填空：

（1）爸爸妈妈说我是_____生的，又是_____，

他们"_____"，所以给我取名叫

"_____"。

⑧

（2）第二个发言的是一个_____的男同学，他

一走到讲台上，就_____，又

_____了一声，这才不紧不慢地说"我姓_____，

是一头_____。"

（3）_____我了，我站起来，和妹妹_____地

走上讲台，妹妹_____，只好由我_____。

6.阅读短文，判断句子，对的打"✓"，错的打"×"：
^{yuè}

一天，一位老人把他的三个儿子叫到跟前，对

他们说："孩子们，我这一生辛辛苦苦，没有给你们

留下什么钱，只留下十九头羊，你们三个人分吧。

老大拿二分之一，老二拿四分之一，老三拿五分之

一。"老人说完，就出远门去了。

三个儿子算来算去，怎么分也分不好。十九头

羊的二分之一，是九头半，四分之一，五分之一，

都不是整数，总不能把活羊切开，分成两半吧。三

兄弟觉得很难办。

这时，有个小孩赶着一头羊从这儿经过，看到

他们很为难的样子，就说："这事好办，我先借给你

们一头羊，你们分完再还给我一头羊，不就得了？"看到三兄弟还不明白他的意思，小孩就分给他们看：十九头羊加一头羊，是二十头羊；二十头羊的二分之一是十头，老大拿十头羊；四分之一是五头，老二拿五头羊；五分之一是四头，给老三；还剩下一头羊，正好还给我。

三兄弟听了，十分高兴，就按小孩说的方法把羊分好了。

（1）老人留给三兄弟十九头羊。（　）

（2）三兄弟很快就自己分好了羊。（　）

（3）老大拿到了四头羊。（　）

（4）小孩把自己的羊送给了三兄弟。（　）

1．写一写：

胞						
鼓						
台						

2．比一比，组词语：

胞（　　　）
炮（　　　）

辛（　　　）
幸（　　　）

鼓（　　　）
般（　　　）

福（　　　）
富（　　　）

论（　　　）
轮（　　　）

掌（　　　）
堂（　　　）

台（　　　）
合（　　　）

取（　　　）
趣（　　　）

3.照例子填一填：

	手拉手	
我们		地走上讲台。

（lì tián tián）

4.画出下列句中的错别字，把正确的字写在（ ）里：（liè）

（1）第一个发言的是赴龙同学。

　　　（　　）（　　）

（2）他向大家做了一个鬼脸，又该嗽了一声。

　　　（　　）（　　）

（3）论到我了。

　　　（　　）

（4）我们俩的名字合在一起就是"辛福"。

　　　（　　）（　　）

5.造句：

（1）紧张　_____

（2）极了　_____

（3）幸福 _____

（4）鼓掌 _____

6.把课文读给爸爸、妈妈听，让他们来评评分：

朗读情况	家长签名
很好☐ 较好☐ 一般☐	

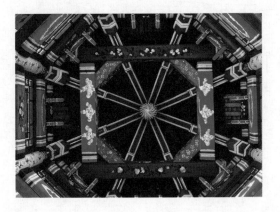

1.读拼音，写词语：

jǐnzhāng   gèzi   zǒngjié

_____   _____   _____

huíyì   mèimei   yìyì

_____   _____   _____

wàngzǐchénglóng   jiànkāngchéngzhǎng

_____   _____

2.写出有下列部首的字：

liè

口：___ ___ ___

车：___ ___ ___

月：___ ___ ___

示：___ ___ ___

礻：___ ___ ___

走：___ ___ ___

3.读课文，选择正确的答案填空：

　xuǎn zé 选择　　　　　　　　àn tián 案填

（1）我长大以后，_____。

　　A.我不会忘记自己永远是龙的传人

　　B.我不会永远忘记自己是龙的传人

　　C.我永远不会忘记自己是龙的传人

　　D.我不会忘记永远是龙的传人自己

（2）课还在进行着，_____。

　　A.一个接一个地同学们介绍完了

　　B.一个接一个地介绍完了同学们

　　C.同学们介绍一个接一个地完了

　　D.同学们一个接一个地介绍完了

（3）他一走到讲台上，_____。

　　A.就做了个鬼脸向大家

　　B.做了个鬼脸就向大家

　　C.就鬼脸向大家做了个

　　D.就向大家做了个鬼脸

（4）我站起来，_____。

　　A.和妹妹手拉手地走上讲台

　　B.手拉手地走上讲台和妹妹

C. 走上讲台手拉手地和妹妹

D. 走上讲台和妹妹手拉手地

4.照例子，写句子：

例：老师　进来　了　走

老师走了进来。

（1）爸爸　妈妈　我　健康　希望　成长

（2）这堂课　我们　回忆　给　美好的　了　留下

（3）祝愿　幸福　老师　同学们　和　生活

（4）第一个　同学　赵龙　是　的　发言

5.造句：

（1）总结

（2）意义

（3）回忆

（4）进行

6.阅读短文，把故事讲给爸爸、妈妈听，让他们来评
评分：

　　传说很早很早以前，天上的大帝
要安排十二个生肖，又不知用什么来
命名。太白金星提议用人间的动物来
命名，天帝同意了，于是就派太白金
星去办这件事。

　　太白金星来到人间，对所有的动物宣布："明天
一早，你们都要去天上考生肖。"动物们听了十分
高兴。

　　老鼠和猫是邻居。猫让老鼠明早叫他一声，一
同上天去。老鼠想到猫比自己跑得快，同猫一起去，
自己肯定落在猫的后面，于是他没有睡觉，连夜偷
偷地上天去了。来到天上一看，想不到老牛已经到

了。老鼠只得排在牛的后面。接着，老虎、兔子、龙、蛇、马……也都到了。太白金星一到就宣布："按排队顺序(shùn xù)，前面十二只动物考中生肖(xiào)!"老鼠(shǔ)一听，就赶紧爬到牛角上，结果排在了第一，后面是牛、虎、兔(tù)、龙、蛇(shé)、马、羊、猴(hóu)、鸡、狗、猪。

动物们考完生肖(xiào)回来，猫还在家里睡觉呢。从此，猫恨死了老鼠(shǔ)，只要一看见老鼠(shǔ)就要捉他。此后，猫也很少在夜里睡觉了。

讲述情况	家长签名
很好□ 较好□ 一般□	

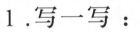

星期一

1．写一写：

饺						
蕉						
苹						
桔						

2．读拼音，写汉字：

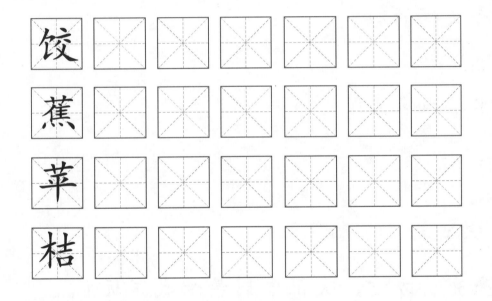

jiǎo

_____ 子

jiāo

香 _____

píng

_____ 果

píng

_____ 坦

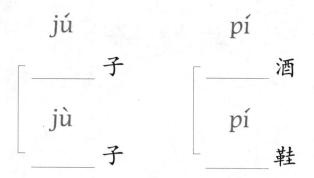

jú
____ 子

jù
____ 子

pí
____ 酒

pí
____ 鞋

3．改病句：

(1)爸爸妈妈动手让我们自己做午饭吃。

_____

(2)既吃的有又喝的有。

_____

(3)家里有水果很多。

_____

4．读课文，填空：
（tián）

(1)今天，亮亮、方方、大卫等同学来我家玩儿。

爸爸妈妈_____做午饭吃。家里水果_____，

有_____、_____和葡萄。

(2)我打开冰箱一看，既有_____又有_____：有

_____、_____、_____、_____；有_____、

_____和青菜；还有_____。

5.连一连，写一写：

炒　　　啤酒＿＿＿＿＿＿＿＿

煮　　　青菜＿＿＿＿＿＿＿＿

喝　　　苹果＿＿＿＿＿＿＿＿

吃　　　饺子＿＿＿＿＿＿＿＿

买——桔子　买桔子＿＿＿＿

6.朗读课文。

1.写一写：

啤						
麻						
烦						
较						

2.比一比，再组词语：

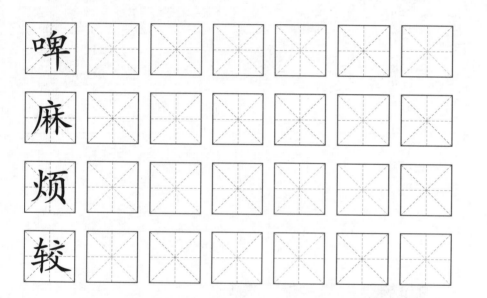

饺（　　　）　苹（　　　）
校（　　　）　菜（　　　）
较（　　　）　来（　　　）

桔（　　　）　麻（　　　）
结（　　　）　床（　　　）

3.读课文，判断句子，对的打"√"，错的打"×"：

(1)爸爸妈妈帮我们做午餐吃。（ ）

(2)家里有香蕉、苹果，没有桔子。（ ）

(3)冰箱里有吃的，没喝的。（ ）

(4)我们觉得煮饺子太麻烦了。（ ）

4.造句：

(1)商量 _____

(2)麻烦 _____

(3)比较 _____

5.照例子，填一填：

我们家吃饺子都要放醋，	
	你们呢？

6.把课文读给爸爸、妈妈听，让他们来评评分：

朗读情况	家长签名
很好□ 较好□ 一般□	

1.写一写：

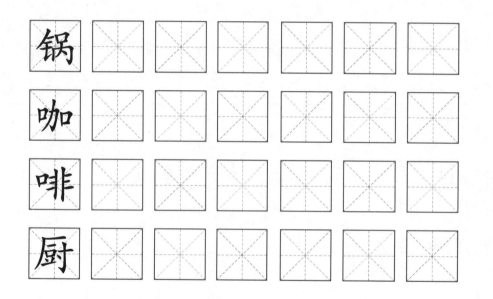

锅						
咖						
啡						
厨						

2.写出有下列部首的字：

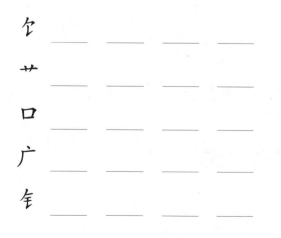

钅 ____ ____ ____ ____

艹 ____ ____ ____ ____

口 ____ ____ ____ ____

广 ____ ____ ____ ____

钅 ____ ____ ____ ____

3.画出下列句子中的错别字，把正确的字写在（ ）里：
lie

（1）家里有香蕉、苹果和枯子。（ ）（ ）

（2）我装上半锅水，放在炉子上。（ ）

（3）我们一起看电视，喝加啡，吃水果。（ ）（ ）

（4）我连忙走进厨房。（ ）

4.读句子，用句中加点的词语造句：

（1）我打开冰箱一看，既有吃的又有喝的。

_____

（2）我连忙走进厨房。

_____

（3）家里有鸡、鱼、牛肉，有鸡蛋、水饺和青菜，
还有啤酒和汽水。

_____

5.改病句：

（1）我们觉得太麻烦了做菜。

_____

（2）我把锅里倒进饺子。

_____

（3）我走进厨房连忙。

6.阅读短文，把故事讲给爸爸、妈妈听：
<small>yuè</small>

　　中文老师在课堂上说："杰克，请你用'果然'这个词造个句子。"杰克想了一会儿，回答说："先吃水'果'，'然'后再喝汽水。"老师马上说："错了，错了，不能把这个词分开用。"杰克说："老师，我还没说完呢，这个句子是'先吃水果，然后再喝汽水，果然拉肚子了'。"

1.写一写：

杯						
碗						
醋						

xuǎn tián
2.选词语填空：

(1)杯　背

他喝了一____咖啡。

我____着爸爸给我买的新书包，心里十分高兴。

(2)晚　碗

桌子上放着一____饭。

你今天怎么回来得这么____？

（3）厨　醋　处

你吃饺子要放____吗?

妈妈在____房做午饭。

公园里到____都是鲜花。

3.把下列句子的正确顺序写在( )里:

( )一会儿，水开了，我连忙走进厨房，打开锅盖，
把饺子倒进锅里。

( )过了一会儿，水又开了，我又往锅里倒了一杯
凉水。

( )几分钟后，水翻滚起来。

( )等水再一次开了，饺
子也就熟了。

( )按照妈妈教给我的
方法，我把半杯
凉水倒进锅里。

4.照例子填空：
_{lì} _{tián}

既然	你们都放醋，	我	就	来点儿吧。

5.读课文，填空：
_{tián}

（1）我们几个同学_____，觉得_____了，还

是_____方便。

（2）我先把_____冲洗_____，装上_____，

放在_____，盖上_____，打开_____。

（3）我给每个同学盛了_____，又倒了_____，
_{chéng}

还加了_____。

6.造句：

（1）按照 _____

（2）方法 _____

（3）既然…就… _____

（4）一边…一边… _____

1.读拼音，写词语：

xiāngjiāo   jiǎozi   píngguǒ

_____   _____   _____

júzi   kāfēi   shāfā

_____   _____   _____

2.写出下列字的部首，并组成一个新字：
liè

lì
例：煮 → 灬 → 热

饺 → ___ → ___   桔 → ___ → ___

咖 → ___ → ___   碗 → ___ → ___

醋 → ___ → ___   厨 → ___ → ___

3.连一连，写一写：

看　　　咖啡　_____

盖　　　醋　_____

喝　　　盖子　_____

放　　　厨房　_____

进　　　电视　_____

吃 ——— 水果　　吃水果

4.读课文，选择正确的答案填空：　xuǎn zé　àn tián

（1）_____，饺子也就熟了。

A.等再一次开水了

B.再一次等开水了

C.再一次等开水了

D.等水再一次开了

（2）_____，我把半碗水倒进锅里。

A.按照妈妈教给我的方法

B.妈妈按照教给我的方法

C.妈妈教给我的按照方法

D.按照我的方法教给妈妈

（3）我们几个同学一商量，觉得做菜太麻烦了，_____。

    A.比较方便还是煮饺子

    B.比较煮饺子还是方便

    C.还是比较方便煮饺子

    D.还是煮饺子比较方便

5.照例子，写句子：

例：我　菜　太　了　麻烦　觉得　做

    我觉得做菜太麻烦了。

（1）我　锅　干净　冲洗　把

_____

（2）这　我　饺子　煮　是　第一次

_____

（3）我　同学　饺子　一碗　给　了　装　每个

_____

（4）我　凉水　锅里　倒了　往　一杯

_____

6.阅读短文，判断句子，对的打"√"，错的打"×"：

　　有一个人肚子饿了，到饺子店去买饺子吃，一口气吃了六个饺子，还觉得没有吃饱，直到吃完第十二个饺子后，才觉得饱了。他想了想，不禁大叫起来："呀！太不应该了。"饺子店的老板连忙走到他面前，问他："先生，您说什么不应该呀？"他伤心地说："早知道吃第十二个饺子能吃饱，我就不吃前头的十一个饺子了。你说这不是太不应该了吗？"饺子店的老板听了哈哈大笑起来。

（1）这个人一共吃了六个饺子。（　）

（2）这个人觉得自己不应该吃十二个饺子。（　）

（3）这个人认为只吃第十二个饺子就饱了。（　）

星期一
xīng qī yī

shàng
三个和尚

1.写一写：

尚						
庙						
挑						

2.比一比，再组词语：

┌ 尚（　　　）　　┌ 庙（　　　）　　┌ 座（　　　）
└ 向（　　　）　　└ 苗（　　　）　　└ 坐（　　　）

┌ 挑（　　　）　　┌ 喝（　　　）　　┌ 往（　　　）
└ 跳（　　　）　　└ 渴（　　　）　　└ 住（　　　）

3．读课文，填空：（tián）

（1）_____的山上有_____，_____有一个____，
　　　　_____每天从山下往山上_____。

（2）一天，____来了一个_____。____和_____
　　住在一起，每天还是_____去_____。

4．照例子填一填：（lì tián tián）

这		不行。
	可	

5．画出下列句中的错别字，把正确的字写在（　）里：（liè）

（1）高高的山上有一座庙，庙里有一个小和尚。
　　　（　　　）

（2）他每天拉着廖和尚一快儿下山去抬水。
　　　（　　　）（　　　）

（3）每天都是我逃水给他喝，这可不行!（　　　）

6．朗读课文。

1.写一写：

胖						
澡						
桶						

2.读拼音，写汉字：

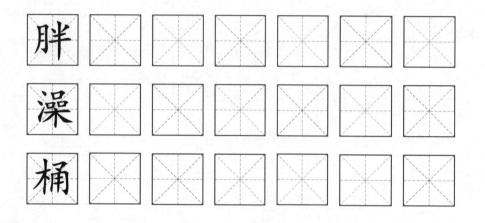

shàng
和 ____

shàng
____ 午

miào
一座 ____

miáo
拔 ____ 助长

tǒng
一 ____ 水

tóng
____ 学

zǎo
洗 ____

zǎo
____ 晨

3.读句子，写出下列加点字的反义词：

（1）高高的山上有一座庙。（　　　）

（2）庙里有个小和尚。（　　　）

（3）一天，庙里来了一个瘦和尚。（　　　）

4.照例子写句子：

例：庙里　和尚　瘦　了　来　一个

庙里来了一个瘦和尚。

（1）山下　山上　每天　小和尚　挑水　从　往　喝

_____

（2）小和尚　挑水　愿意　去　不　了

_____

（3）庙里　水　没有　一点儿　了　也

_____

5.读课文，选择正确的答案填空：

（1）小和尚和瘦和尚_____，还不够他一个人用呢。

A.抬来一桶水好不容易

B.一桶水好不容易抬来

C.好不容易抬来一桶水

（2）从此以后，_____

    A.他每天拉着瘦和尚就一块儿下山去抬水。

    B.他拉着瘦和尚每天一块儿就下山去抬水。

    C.他就每天拉着瘦和尚一块儿下山去抬水。

6.把课文读给爸爸、妈妈听，让他们来评评分：

朗读情况	家长签名
很好□ 较好□ 一般□	

1.写一写：

鼠					
蜡					
烛					

2.连一连，写一写：

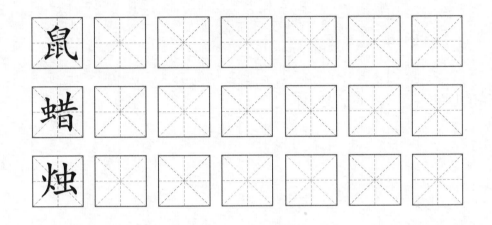

和　蜡　老　挑　洗　救　着

烛　水　尚　澡　鼠　急　火

_____　_____　_____　救火

tián
3.读课文，填空：

（1）这就是人们说的："一个和尚_____，两个和尚_____，三个和尚_____。"

（2）一天晚上，一只＿＿＿＿＿出来偷东西吃，三个和尚看见了，＿＿＿＿＿。＿＿＿＿＿又去咬＿＿＿＿，＿＿＿＿＿倒了，庙里着火了，＿＿＿＿＿＿＿＿。

（3）三个人＿＿＿＿＿，终于＿＿＿＿＿。

4. 照例子填一填：

庙里		水	
	一点儿		也没有了。

5. 造句：

（1）一块儿＿＿＿＿＿＿＿＿＿＿＿＿＿＿＿＿＿＿＿＿＿

（2）好不容易＿＿＿＿＿＿＿＿＿＿＿＿＿＿＿＿＿＿＿＿

（3）洗澡＿＿＿＿＿＿＿＿＿＿＿＿＿＿＿＿＿＿＿＿＿＿

（4）从此＿＿＿＿＿＿＿＿＿＿＿＿＿＿＿＿＿＿＿＿＿＿

6. 阅读短文，判断句子，对的打"✓"，错的打"✗"：

在中国，古人常说："诗中有画，画中有诗。"一首好的诗可以用画画出来；一幅好的画也就是一首没有文字的诗。

40

有一次，有人用一句诗作为画的题目，让三个画家进行画画儿比赛，画题是"深山有古寺（sì）"。第一个画家画了深山里的一座古庙；第二个画家画了几座山，山后露出古庙的一角；最后一个画家画了重重叠叠（dié dié）的山峰，密密的树林，林中有小桥流水和弯弯的小路，不见古庙，只见一个小和尚正挑着水往山里走去。

虽然这几幅画都画出了"深山有古寺"这句诗的意思，但是最后一幅画得最好，这幅画儿用"和尚挑水"把诗句的意思含蓄（hán xù）地表达出来了。

（1）一幅好的画就是一首没有文字的诗。（　）

（2）"深山有古寺（sì）"就是说山里有一座古庙。（　）

（3）最后一幅画儿没有画庙，所以画得不好。（　）

1.写一写：

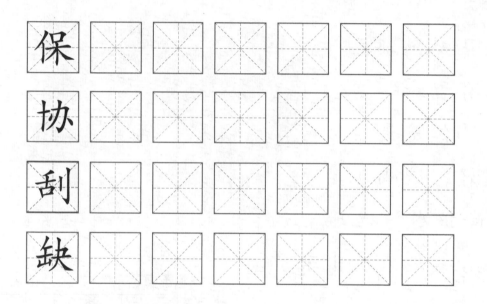

保						
协						
刮						
缺						

2.写出下列字的部首，再组一个新字：

例：抬→才→按

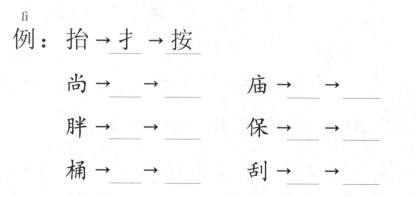

尚→＿＿→＿＿　　庙→＿＿→＿＿

胖→＿＿→＿＿　　保→＿＿→＿＿

桶→＿＿→＿＿　　刮→＿＿→＿＿

3.改病句：

（1）一天晚上，出来一只小老鼠偷东西吃。

_____

（2）半年后，一个胖和尚又来了庙里。

_____

（3）庙里着火了，越烧越大火。

_____

4.把下列句子的正确顺序写在( )里：

（ ）三个人齐心合力，终于把火灭掉了。

（ ）一天晚上一只小老鼠出来偷东西吃，三个和尚
　　　看见了，谁也不管。

（ ）三个和尚想救火，可是庙里又没有水了。

（ ）老鼠又去咬蜡烛。

（ ）他们着急了，
　　　都抢着去挑
　　　水救火。

（ ）蜡烛倒了，庙
　　　里着火了，火
　　　越烧越大。

5.读句子，用句中加点的词语造句：

（1）只有团结协作，才能战胜困难。

_____

（2）他们不管刮风下雨，每天都轮流下山去挑水。

_____

（3）这样，庙里再也不缺水了。

_____

6.读课文，判断句子，对的打"√"，错的打"×"：

（1）小和尚愿意每天挑水给瘦和尚、胖和尚喝。
　　（　）

（2）胖和尚用水很少。（　）

（3）庙被烧光了。（　）

（4）他们三个人齐心合力，终于把火灭掉了。（　）

1．读拼音，写词语：

tiāoshuǐ   lǎoshǔ   làzhú

_____   _____   _____

guāfēng   xiézuò   quēshuǐ

_____   _____   _____

liè
2．写出有下列部首的字：

氵 _____

木 _____

火 _____

虫 _____

钅 _____

3.连一连，写一写：

齐心　　下雨 _____

团结　　困难 _____

刮风　　合力 _____

战胜　　协作 _____

轮流　　救火 _____

挑水　　下山　轮流下山_____

4.比一比，再组词语：

┌澡（　　）　┌桶（　　）　┌蜡（　　）
└躁（　　）　└通（　　）　└错（　　）

┌独（　　）　┌缺（　　）　┌刮（　　）
└烛（　　）　└决（　　）　└甜（　　）

5.读课文，填空：
                   tián

（1）三个和尚想救火，可是_____他们着急了，

都_____。三个人_____，终于_____。

（2）庙保住了，他们也_____：只有_____，

_____，才能_____，才有_____。

（3）从此，他们不管_____，每天都_____。这

样，_____了。

6.阅读短文，判断句子，对的打 "√"，错的打 "×"：

郑(zhèng)板桥是中国清代的一位进士，很有才华。他不但会写诗，还会画画儿。

有一天，郑(zhèng)板桥去游金山，金山上有个古庙，他围着古庙走了一圈，看见到庙里去的人很多，他也就跟着大家一起进去了。

走进古庙，和尚看他穿得破旧，像个乡下人，就不理他。郑(zhèng)板桥不理会这些，只管看墙上的字画。和尚想：这个人能看懂字画，大概不是乡下人，不如对他客气些，于是喊道："坐！茶！"郑(zhèng)板桥没说什么，照旧看画儿。和尚走上前问："先生贵姓？"郑(zhèng)板桥说："姓郑(zhèng)。"和尚便改了口气，说："请坐！敬茶！"后来，和尚看他的举止和周围的人不一样，便又问："先生叫什么名字？"

郑(zhèng)板桥答："板桥。"

和尚一听，吃了一惊，没想到他就是有名的郑(zhèng)板桥，

47

连忙笑着说："请上坐！敬香茶！"然后又说了许多客气话，对他特别热情。

郑(zhèng)板桥看完字画，转身正要走，和尚拿出纸笔，请他写一副对联。郑(zhèng)板桥拿起笔来，很快就写好了。上联写的是："坐！请坐！请上坐！"下联是："茶！敬茶！敬香茶！"

和尚看了对联，很不好意思，一句话也说不出来。

（1）郑(zhèng)板桥一走进古庙，和尚就对他很热情。（　）

（2）郑(zhèng)板桥到古庙去是为了看庙里的字画。（　）

（3）郑(zhèng)板桥给和尚写了一副对联。（　）

（4）和尚看了郑(zhèng)板桥写的对联，说了很多话。（　）

珠穆朗玛峰
mù mǎ

星期一
xīng qī yī

1. 写一写：

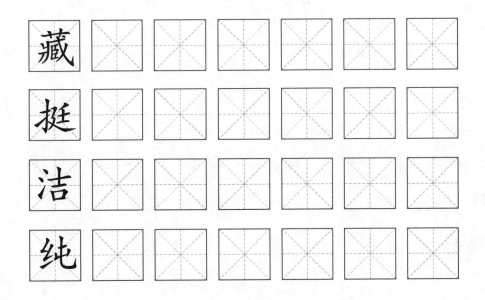

藏						
挺						
洁						
纯						

2. 在下列加点字的正确读音上打"√"：
liè

(1) 珠穆朗玛峰在中国西南部的青藏高原上。
mù mǎ

A. cáng B. zàng C. chàng D. zhàng

(2) 山势雄伟挺拔。

A. tīng B. tíng C. tǐng D. tìng

（3）洁白的雪飘下来了。

A．jiē　　B．jié　　C．jí　　D．jiě

（4）峰顶洁白纯净。

A．cún　　B．chún　　C．chǔn　　D．cǔn

3．组词语：

藏 [（　　　）
     （　　　）

挺 [（　　　）
     （　　　）

洁 [（　　　）
     （　　　）

纯 [（　　　）
     （　　　）

4．读课文，填空：

（1）在中国_____上，耸立着_____珠
（sǒng）
穆朗玛峰。它_____8848 米。
（mù）（mǎ）

（2）珠穆朗玛峰是一座_____，山势_____，
（mù）（mǎ）
风光_____。

5.照例子填空：

她既聪明又温和，还乐于助人，	因此	受到了人们的尊敬和爱戴。

6.朗读课文。

1.写一写：

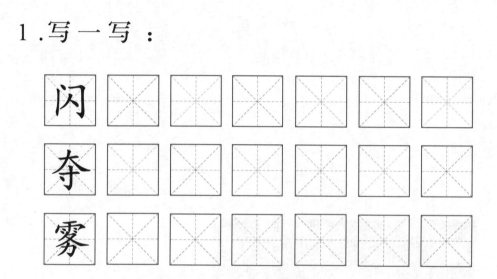

闪						
夺						
雾						

2.读拼音，写词语：

xīnán   Qīngzàng gāoyuán

_____   _____

yúnwù   duómù

_____   _____

géwài   shénmì

_____   _____

3. 比一比，再组词语：

挺（　　　）　　洁（　　　）
庭（　　　）　　结（　　　）

闪（　　　）　　夺（　　　）
间（　　　）　　奇（　　　）

4. 标出下列句中的错别字，把正确的字写在（　）里：

（1）青藏高原在中国的西南部。
　　　　　（　　）

（2）山势雄伟挺拔。
　　　　　（　　）（　　）

（3）峰顶洁白纯净，银光闪闪，格外夺目。
　　　　　（　　）（　　）

（4）峰顶漂动着层层云务。
　　　　　（　　）（　　）

5. 读课文，判断句子，对的打"✓"，错的打"✗"：

（1）珠穆朗玛峰在中国的东南部。（　　）

（2）太阳出来的时候，峰顶飘动着层层云雾。（　　）

（3）珠穆朗玛峰是世界第一高峰。（　）

（4）珠穆朗玛峰海拔8884米。（　）

6.阅读短文，判断句子，对的打"√"，错的打"×"：

　　许多国家都流传着美人鱼的故事，其中最动人的要算波兰首都华沙那座美人鱼塑像的故事了。

　　传说从前华沙有位姑娘，在敌人入侵波兰时，被敌人抓走了，后来她想办法逃了出来。敌人发现后，立刻派兵追她。她逃到华沙维斯杜拉河边，无路可走了。她看到敌人越追越近，就大声喊道："我宁愿死了，也不愿落到你们的手里！”说完，就跳进河里，化成了一条金色的鲤鱼。

不久，敌人又一次入侵波兰，这位姑娘领着许多化作美人的鲤鱼跳出水面。她们手拿盾牌，挥舞宝剑，和敌人展开了生死搏斗，终于打败了敌人。

后来，波兰人民为了纪念她，就在维斯杜拉河边建造了这座一手紧握盾牌，一手高举利剑的人身鱼尾的美人鱼塑像。

（1）这篇短文中说的美人鱼塑像是在法国巴黎。

（　）

（2）这位华沙姑娘跳进河里，化成了一只鸟。（　）

（3）美人鱼拿着盾牌和宝剑，打败了敌人。（　）

（4）波兰人民为了纪念这位华沙姑娘，就为她建造了一座美人鱼塑像。（　）

1.写一写：

测					
仅					
纷					

2.连一连，写一写：

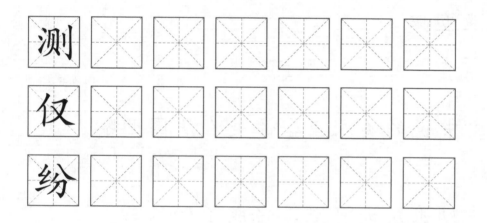

迷人的　　　　女神　　美丽的女神

动人的　　　　风光　　_____

美丽的　　　　传说　　_____

幸福的　　　　山峰　　_____

无数的　　　　家园　　_____

高高的　　　　探险家　_____

3.写出有下列部首的字：

艹 ___ ___ ___

扌 ___ ___ ___

氵 ___ ___

纟 ___ ___

门 ___ ___

亻 ___ ___

4.读课文，填空：

（1）太阳出来的时候，峰顶_____，_____，_____；刮风下雪的时候，峰顶_____，_____，_____。一天之内，它____，美丽而又神奇。

（2）一天，她____来到了这座_____下，____的雪峰把她吸引住了。她就在这里住了下来。

5.照例子写句子：

例：珠穆朗玛峰 冰峰 是 座 一

珠穆朗玛峰是一座冰峰。

（1）传说　这里　有　个　的　动人

_____

（2）她　雪峰　骑着　马　高高的　来到　了　脚下　这座

_____

（3）藏族同胞　消息　在　传开　中间　了　这个

_____

（4）尊敬　爱戴　她　了　和　的　人们　受到

_____

6.读句子，用句中加点的词语造句：

（1）她既聪明又温和。

_____

（2）这件衣服不仅漂亮，而且便宜。

_____

（3）人们纷纷从各地搬到珠穆朗玛居住的雪峰脚下。

_____

（4）美丽的传说，表达了藏族同胞对西藏大好河山的热爱。

_____

1．写一写：

坡						
页						
录						

2．读拼音，写汉字：

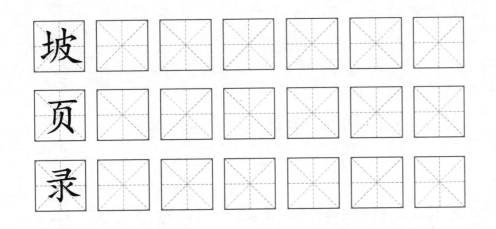

           cè   jǐn

⎡ 神秘莫＿＿＿＿＿   ⎡ 不＿＿＿＿＿

          chè   jǐng

⎣ ＿＿＿＿＿底   ⎣ 水＿＿＿＿＿

          lù   pō

⎡ 记＿＿＿＿＿   ⎡ 山＿＿＿＿＿

          lù   bō

⎣ 走＿＿＿＿＿   ⎣ ＿＿＿＿＿璃

3. 给下列字加上部首，再组词语：（liè）

例：总 → 聪 → 聪明（lì）

吉 → ___ → _____　　　　皮 → ___ → _____

又 → ___ → _____　　　　分 → ___ → _____

寸 → ___ → _____　　　　务 → ___ → _____

4. 改病句：

（1）她来到了这座高高的雪峰脚下骑马。

_____

（2）人们把人类征服自然的象征之一作为登上"珠峰"。

_____

（3）中国登山运动员成功地登上了峰顶从北坡。

_____

（4）人们从各地搬到雪峰脚下纷纷。

_____

5.照例子填空：

人们		喜欢珠穆朗玛， mù mǎ		向往她居住的地方。
	不仅		而且	

6.把课文读给爸爸、妈妈听，让他们来评评分：

朗读情况	家长签名
很好□ 较好□ 一般□	

1.读拼音，写词语：

fēnfēn   rénlèi   zìcóng

_____   _____   _____

niándài   yǐlái   xīzàng

_____   _____   _____

2.比一比，再组词语：

纷（   ）   坡（   ）
粉（   ）   破（   ）

页（   ）   录（   ）
贡（   ）   绿（   ）

仅（   ）   峰（   ）
反（   ）   逢（   ）

3.连一连，写一写：

洁　纯　挺　夺　聪　温　美

净　目　白　好　拔　明　和

美好
_____

5.读课文，判断句子，对的打"✓"，错的打"✗"：

（1）相传，在西藏有一个美丽的女神，名叫珠穆朗玛(mù)(mǎ)。（　　）

（2）1953年，中国登山运动员成功地从北坡登上了峰顶。（　　）

（3）珠穆朗玛(mù)(mǎ)峰吸引了世界各国无数的登山运动员。
　　　（　　）

（4）人们不喜欢跟珠穆朗玛(mù)(mǎ)住在一起。（　　）

5.造句：

　　（1）因此_____

　　（2）自从_____

　　（3）以来_____

　　（4）表达_____

6.阅读短文，选择正确的答案：

　　美丽的富士山,在日本本州岛中南部,海拔3776米,是日本最高的山峰。"富士"的意思是"火之山"。

　　富士山是一座"活火山",在公元前781年到公元1707年之间曾爆发过18次,现在还不时地喷气。富士山虽然是火山,山顶却终年冰雪不化。山上有温泉、瀑布、森林。山的北面有五个大小不同的火山口湖,这就是著名的"富士五湖"。这里湖山相映,景色秀丽,是日本著名的风景区和游览地。每年夏天,许多游客沿着北边的山路登上富士山,在半山腰的草屋里过夜,天不亮就赶到山顶观看日出。通往峰顶的山路像庙会一样热闹,到处挤满了游客和卖纪念品的小商人。

自古以来，富士山就以它庄严、美丽的形象赢得了日本人民的热爱，人们把它和崇高的理想、美好的希望联系在一起。富士山一直都是历代作家、诗人、画家赞美的对象。

（1）美丽的富士山，是_____。

　　A.亚洲的最高的山峰

　　B.日本的最高山峰

　　C.世界最高的山峰

（2）富士山是一座_____。

　　A.活火山

　　B.死火山

　　C.火山口湖

（3）人们把富士山和_____联系在一起。

　　A.珠穆朗玛峰

　　B.日出

　　C.崇高的理想

10

中文第八册

yàn

燕 子

1. 写一写：

燕						
益						
尖						

2. 读拼音，写汉字：

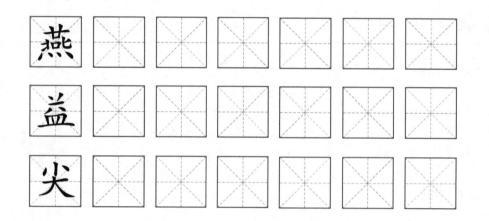

yàn ⌈ ＿＿ 子
　　 ⌊ 经 ＿＿

yì ⌈ ＿＿ 鸟
　 ⌊ ＿＿ 回

jiān ⌈ ＿＿ 嘴巴
　　 ⌊ ＿＿ 时

jiǎn ⌈ ＿＿ 刀
　　 ⌊ ＿＿ 单

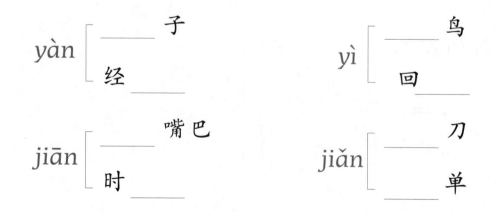

xīng qī yī
星 期 一

3.读课文填空：

（1）燕子是一种_____的_____鸟。

（2）它背上的毛_____，肚皮上的毛_____，
尾巴像_____。

（3）它无论_____，都会_____。

（4）它的嘴巴_____，善于_____。

4.照例子写句子：

例：燕子　轻　身体　很

　　燕子身体很轻。

（1）一对　两次　每年　燕子　小　燕子　生

_____

（2）燕子　得　快　很　飞

_____

（3）它　80　千米　可　每小时　飞

_____

（4）它　捉　中　在　善于　飞行　害虫

_____

5.照例子填空：

它们不怕辛苦，		捕捉害虫。
	为的是	

6.朗读课文。

1.写一写：

惯						
负						
责						

2.写出有下列部首的字：
　　　　　　　　liè

灬 ____ ____ ____

皿 ____ ____ ____

忄 ____ ____ ____

讠 ____ ____ ____

3. 连一连，写一写：

燕　益　剪　尾　害　能　肚

鸟　刀　子　皮　巴　虫　手

　　　　　　　　　　害虫
_____

4. 标出下列句中的错别字，把正确的字写在(　)里：

(1) 燕子是一种讨人喜爱的益鸟。
　　　　(　)(　)

(2) 它习惯把嘴巴张的大大的。
　　　　(　)(　)

(3) 它们共同负青喂养孩子。
　　　　(　)

(4) 它的嘴巴又短又尖。
　　　　(　)

5. 读句子，用加点的词语造句：

(1) 它背上的毛又黑又亮。

_____

（2）它无论飞到哪里，都会受到人们的欢迎。

_____

（3）他总是第一个到学校。

_____

（4）他习惯用左手拿剪刀。

_____

6.阅读短文，判断句子，对的打 "√"，错的打 "×"：

　　春天到了，小燕子跟着妈妈从很远很远的南方飞回来了。

飞呀，飞呀，她们飞到了大海上空。小燕子往下一看，吃惊地问："妈妈，海面上哪儿来那么多高塔？"妈妈笑着说："孩子，那是井架，人们在开采海底的石油呢。"

飞呀，飞呀，她们飞过田野，飞到了去年住过的地方，小燕子惊奇地问："妈妈，原来我们住过的房子怎么不见了？"妈妈笑着说："孩子，人们生活好了，都住上新房了！"

（1）小燕子跟着妈妈从南方飞回来了。（　　）

（2）小燕子飞过大海，飞过田野，飞到了去年住过的地方。（　　）

（3）小燕子飞到了去年住过的地方，发现了原来住过的房子。（　　）

（4）妈妈说："人们的生活没有变，还是住在旧房子里。"（　　）

1.写一写：

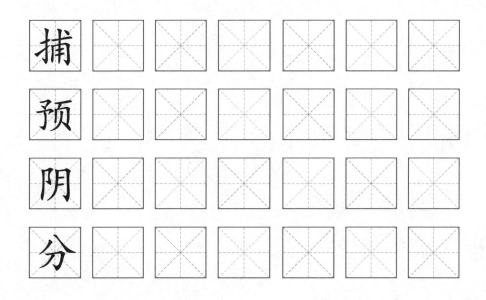

捕

预

阴

分

2.在下列加点字的正确读音上打"√"：
          liè

(1)它是捕捉害虫的能手。

    A.pū   B.bū   C.pǔ   D.bǔ

(2)它是出色的天气预报员。

    A.yū   B.yú   C.yǔ   D.yù

（3）今天是阴天。

      A．yīn　B．yīng　C．yín　C．yíng

（4）空气里的水分增多。

      A．fēn　B．fēng　C．fèn　D．fèng

（5）这件事由小刘负责。

      A．zhé　B．zé　C．bèi　D．zhě

3．组词语：

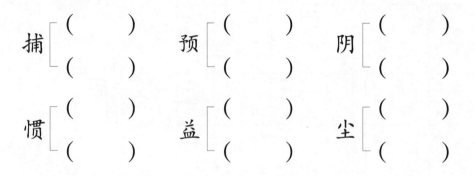

4．读课文，选择正确的答案：

（1）燕子在空中飞来飞去时，_____。

      A．总是习惯把嘴巴张得大大的

      B．习惯把嘴巴总是张得大大的

      C．把嘴巴总是习惯张得大大的

（2）它们不怕辛苦，_____。

      A．因为捕捉害虫，喂养小燕子

B.为的捕捉害虫，喂养小燕子

　　　C.为的是捕捉害虫，喂养小燕子

（3）燕子要捉他们 _____。

　　　A.不得不就贴着地面飞行

　　　B.就不得不贴着地面飞行

　　　C.就贴着地面不得不飞行

5.造句：

　　（1）共同 _____

　　（2）负责 _____

　　（3）保护 _____

　　（4）不仅…而且… _____

6.把课文读给爸爸、妈妈听，让他们来评评分：

朗读情况	家长签名
很好□ 较好□ 一般□	

1.写一写：

昆					
沾					
恋					

2.照例子，写字，组词语：

例：长→张→一张

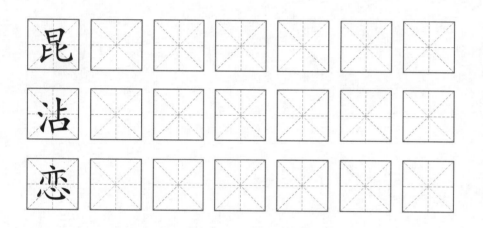

大→____→____   予→____→____

月→____→____   占→____→____

当→____→____   比→____→____

3.比一比，组词语：

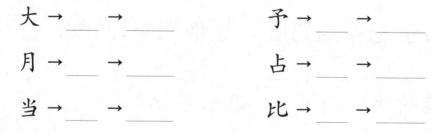

燕（　　）　益（　　）　负（　　）　昆（　　）

热（　　）　盖（　　）　员（　　）　显（　　）

4.照例子，填一填：

燕子		贴着地面飞行。
	不得不	

5.读课文，判断句子，对的打"√"，错的打"×"：

(1)两只燕子一年内可吃掉100多万条害虫。（　）

(2)下雨之前，空气的水分增多了。（　）

(3)下雨之前，燕子身上沾满了小水珠，所以飞不
　　高。（　）

(4)燕子是人类的好朋友。（　）

6.造句：

(1)当…的时候＿＿＿＿＿＿＿＿＿＿＿＿＿＿＿

(2)之前＿＿＿＿＿＿＿＿＿＿＿＿＿＿＿＿＿＿

(3)因为…所以…＿＿＿＿＿＿＿＿＿＿＿＿＿＿

(4)特别＿＿＿＿＿＿＿＿＿＿＿＿＿＿＿＿＿＿

1 .连一连，读一读：

zé   fèn   yīn   fù   liàn   bǔ   zhān   yù   guàn   kūn

负   捕   责   惯   分   阴   恋   沾   昆   预

2 .连一连，写一写：

捕捉　　　嘴巴　　张大嘴巴

喂养　　　树木　＿＿＿＿＿＿

保护　　　害虫　＿＿＿＿＿＿

依恋　　　燕子　＿＿＿＿＿＿

沾满　　　故居　＿＿＿＿＿＿

张大　　　小水珠　＿＿＿＿＿

3.比一比，组词语：

┌ 捕（　　　） ┌ 预（　　　） ┌ 沾（　　　）
└ 铺（　　　） └ 顶（　　　） └ 站（　　　）

┌ 责（　　　） ┌ 阴（　　　） ┌ 恋（　　　）
└ 贵（　　　） └ 阳（　　　） └ 态（　　　）

4.读课文填空：

（1）燕子_____是_____，而且是_____。

（2）俗话说："_____，大雨_____。"

（3）原来下雨之前，_____增多，_____

　　　身上_____，所以飞不高。

（4）燕子是_____鸟。每年秋天它都要_____，

　　　第二年春天_____。

5.改病句：

（1）无论飞到哪里，都会受到欢迎。

_____

（2）负责小燕子的任务由燕爸爸燕妈妈共同喂养。

_____

（3）燕子头一年飞走的，还会第二年再回到自己的
　　　老家。

_____

（4）快要下雨了，人们就知道燕子在低空飞来飞去。

_____

6.阅读短文，判断句子，对的打"√"，错的打"×"：

　　　青蛙最喜欢吃昆虫。它鼓着一双大眼睛，只要
看见有虫子飞过，它就跳起来，舌头一伸，就把虫
子卷进嘴里去了。

　　　有人把青蛙关在笼子里，拿许多死虫子放在笼
子里喂它。奇怪的是，青蛙一只也不吃，活活地饿
死了。是不是因为虫子是死的，青蛙才不吃呢？不
是。只要把死虫子系在绳子上，在青蛙眼前晃一晃，
青蛙就跳起来把它吃了，跟吃活虫子一样。

　　　原来，青蛙的眼睛很特别，看动的东西又清楚
又准确，看静的东西却不行。所以，只要虫子在飞，
不管它飞得多快，往哪个方向飞，青蛙都能看得很
清楚，还知道该在什么时候跳起来捉住虫子。而虫

子如果停住不飞，它就看不见了。

　　人们研究了青蛙（wā）的眼睛后，制成了"电子蛙（wā）眼"，主要用它来观察飞机。机场上的指挥员借助"电子蛙（wā）眼"的帮助，就能立刻判断出飞机在什么地方，飞得多高，飞得多快，正向哪个方向飞。有了"电子蛙（wā）眼"，人们就能更加准确地指挥飞机的飞行和降（jiàng）落了。

（1）青蛙（wā）不吃死虫子。（　）

（2）青蛙（wā）看动的东西看得又准确又清楚。（　）

（3）虫子停住不飞的时候，青蛙（wā）就扑上去吃掉它。
　　　（　）

（4）"电子蛙（wā）眼"能帮助人们准确地指挥飞机的飞行和降（jiàng）落了。（　）

xú   hóng
徐悲鸿

1.写一写：

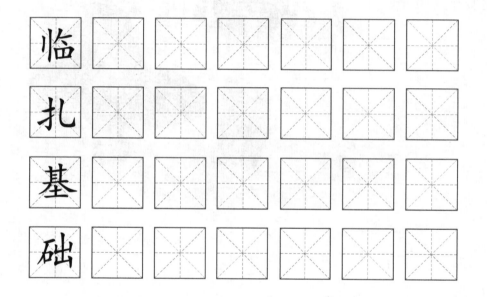

临
扎
基
础

2.组词语：

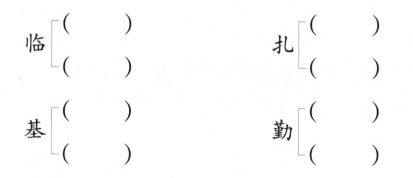

临［（　　　）
　　（　　　）

扎［（　　　）
　　（　　　）

基［（　　　）
　　（　　　）

勤［（　　　）
　　（　　　）

3.选字填空：
xuǎn

（1）临　铃　邻　零

上课_____响了。

刚才是 7 月 1 日_____点。

他是我的_____居。

他在那儿_____摹油画。
mó

（2）基　机　际　迹

香港是一个国_____大都市。

他从小就打下了扎实的_____础。

他们创造了登山史上的奇_____。

飞_____就要起飞了。

4.读课文，填空：

（1）他从小就_____，九岁开始_____，为他以后

的_____打下了_____。

（2）人们_____看见_____在那里_____地_____

摹油画。
mó

（3）徐悲鸿被这些名画_____了，他_____着能
xú　hóng

_____去巴黎。
lí

5.读句子，用句中加点的词语造句：

（1）有时他一画就是十几个小时，连一口水也不喝。

_____

（2）他从小就打下了扎实的基础。

_____

（3）徐悲鸿被这些名画深深地吸引住了。

_____

（4）他的愿望终于实现了。

_____

6.朗读课文。

1.写一写：

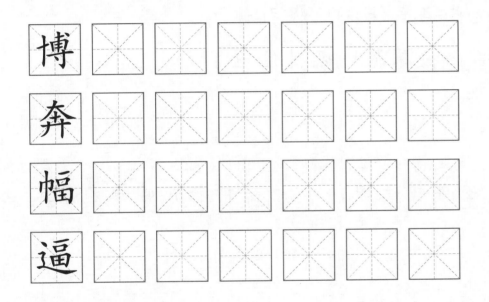

博						
奔						
幅						
逼						

2.读拼音，写汉字：

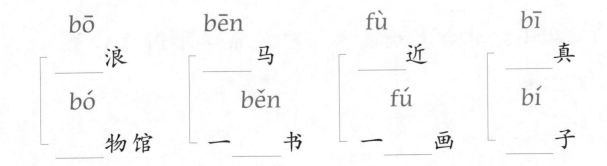

bō	bēn	fù	bī
___ 浪	___ 马	___ 近	___ 真
bó	běn	fú	bí
___ 物馆	一 ___ 书	一 ___ 画	___ 子

3.读课文，选择正确的答案：（xuǎn zé）（àn）

（1）_____，后来终于成了闻名中外的大画家。

    A．他经过刻苦学习

    B．经过他刻苦学习

    C．他经过学习刻苦

（2）父亲的朋友带来了许多名画复制品，_____。

    A．被这些名画深深地吸引住他了

    B．他被这些名画深深地吸引住了

    C．这些名画被深深地吸引住他了

4.照例子填空：（lì）

他白天		去学校上课，		去博物馆临摹名画。（mó）
	或者		或者	

5.改病句：

（1）他从小就非常喜欢美术，跟父亲学中国画从九岁开始。

（2）这里的艺术品对他着迷了。

_____

（3）他早日盼望着能去法国亲眼看看这些名画。

_____

（4）晚上他就进行创作在自己的房间里。

_____

6.把课文读给爸爸、妈妈听，让他们来评评分：

朗读情况	家长签名
很好☐ 较好☐ 一般☐	

1.写一写：

巧						
狮						
曾						

2.比一比，再组词语：

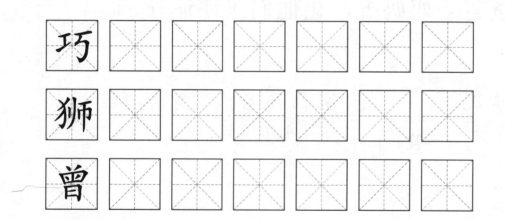

师（　　　）　　　　其（　　　）
狮（　　　）　　　　基（　　　）

扎（　　　）　　　　幅（　　　）

礼（　　　）　　　　福（　　　）

乱（　　　）　　　　逼（　　　）

3.画出下列句中的错别字，把正确的字写在( )里：

(1)他曾经画过狮子。

    ( )( )

(2)白天他有时去博物馆临摹^{mó}油画。

    ( )( )

(3)他从小就打下了札实的基础。

    ( )( )

(4)他除了多年坚特练习绘画技巧之外，还非常注意观察马的生活。

    ( )( )

4.照例子填空：

	画马，		画狮子，他都画得那么逼真，那么传神！
或		或	

5.照例子，写句子：

例：他　十几个　小时　就是　一画

他一画就是十几个小时。

（1）他　非常　从小　喜欢　就　美术

_____

（2）他　《奔马图》　是　的　名作　的　中国画

画　中

_____

（3）他　马　这样　画　逼真　呢　的　为什么

_____

（4）晚上　房间　就　里　自己　的　在　创作　他

_____

6.阅读短文，判断句子，对的打"✓"，错的打"✗"：

齐白石最喜欢画虾，
他画的虾十分有名。
他曾经为自己画的虾
标了价格：10两银子
1只。

一天，一个商人拿着35两银子来向齐白石买画，想占个便宜。可是他打开一看，发现画上只有3只虾和一些水草。他正要发火，却看到还有半只虾藏在水草之中，只见虾尾，不见虾头。35两银子正好买了3只半虾，他自然无话可说。

（1）人们为齐白石画的虾标了价：10两银子1只。
　　（　）
（2）有个商人拿着35两银子来向徐悲鸿买画，以
　　　　为徐悲鸿会给他画四只虾。（　）
（3）徐悲鸿为这个商人画了三只。（　）
（4）35两银子正好买了三只半虾。（　）

1.写一写：

优						
秀						
愧						

2.照例子写字，组词语：

例：舌 → 活 → 生活

出 → ___ → ___   师 → ___ → ___

尤 → ___ → ___   乃 → ___ → ___

鬼 → ___ → ___   见 → ___ → ___

3.组词语：

优 [(   )   (   )]　　秀 [(   )   (   )]　　愧 [(   )   (   )]　　巧 [(   )   (   )]

4.读课文，判断句子，对的打"✓"，错的打"✕"：

（1）徐悲鸿九岁开始喜欢美术。（ ）

（2）徐悲鸿特别爱画马。（ ）

（3）徐悲鸿不愧是一位伟大的画家。（ ）

（4）徐悲鸿画的狮子不传神。（ ）

5.造句：

创作 _____

优秀 _____

尤其 _____

终于 _____

6.标出下列句子的正确顺序：

（ ）每天去动物园观察狮子，

（ ）或画马，或画狮子，

（ ）为了画好狮子，

（ ）他曾用了三个月的时间，

（ ）一边观察一边画。

（ ）他都画得那么逼真，那么传神！

1.连一连，写一写：

基　奔　扎　技　逼　优　传　不　狮

实　真　巧　础　马　神　愧　秀　子
　　　　　　　　　　　　　　　　　狮子
_____

2.写出有下列部首的字：
liè

扌 _____

犭 _____

忄 _____

石 _____

辶 _____

亻 _____

3.比一比，组词语：

⎡ 鬼（　　　　） ⎡ 奔（　　　　）
⎣ 愧（　　　　） ⎣ 夺（　　　　）

⎡ 功（　　　　） ⎡ 秀（　　　　）
⎣ 巧（　　　　） ⎣ 季（　　　　）

4.选词语填空：

除了…之外　　一边…一边　　或…或

连…也　　一…就

（1）_____喜欢画马_____，他还喜欢画狮子。

（2）_____画马，_____画狮子，他都画得那

么逼真，那么传神。

（3）在动物园里，他_____观察_____画。

（4）晚上我_____喝了茶，_____睡不着。

（5）他最近很忙，_____星期天____没有时间休息。

5.读课文填空：

（1）他经过刻苦学习，后来_____。

（2）他画的_____，是中国画中的_____。

站在这幅画前，人们看着_____，就好像

听到了马蹄声。

很久以前，有个穷人叫张三，住在一间又小又矮的草屋里。每天早上起床后，他都看见一匹黑马站在草屋门

口。张三不知道马是谁家的，就把马赶跑，哪知道到了晚上马又跑回来了。

张三有个好朋友住在西山，张三很想去找他，可是路太远，去不了。有一天，张三把这匹没有主人的黑马捉住，准备骑着它去西山。走以前，他告诉家里人："如果有人来找马，就说我骑着马到西山去了。"上了路，这匹马跑得非常快，没多久就跑了几十里。晚上，这匹马不仅不喝水，还连一点儿草也不吃。张三以为马累病了，心里想，明天不要让它跑得那么快了。可是，到了第二天，马什么病也

没有，跑得还像昨天一样快，不到中午，就到了西山。

张三骑着马进了城，看见的人都说这是一匹好马。有个有钱的人，出很多钱要买这匹马。张三怕马的主人到这儿来找，因此没敢把马卖掉。

过了半年，还没有人到张三这儿来找马，于是，张三就把马卖给了那个有钱人，自己买了一头驴骑着回家了。

谁知张三刚到家，那个有钱人就追来了。原来那匹马也跟着张三跑回来了，但是它没有跑到张三家，却跑到了张三的邻居家里。有钱人一直追到了张三的邻居家，可是进了大门，马就不见了。有钱人问张三的邻居，邻居说没看见有马进来。有钱人走进屋子，看见墙上挂着一幅画，画上画的都是马，其中一匹黑马，跟他买的那匹黑马一模一样。这时候人们才明白，原来这匹黑马是从画上走下来的。

讲述情况	家长签名
很好□ 较好□ 一般□	

达尔文 (ěr)

星期一 (xīng qī yī)

1.写一写：

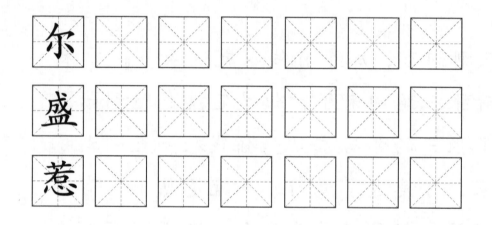

尔

盛

惹

2.在下列加点字的正确读音上打"✓"： (liè)

（1）达尔文出生在英国。

　　A.ěr　　B.ě　　　C.ér　　D.rě

（2）花园里鲜花盛开

　　A.shèn　B.shèng　C.chéng　D.sèng

（3）燕子十分惹人喜爱。

　　A.rě　　B.rè　　　C.ěr　　D.ruò

（4）花园里果树成行。

    A.xíng   B.xín   C.háng   D.hán

3.读课文填空：

（1）达尔文出生在_____，他的祖父是_____、

_____和_____。他的父亲是_____一位

_____。

（2）花园里_____，_____，十分_____。

（3）达尔文的妈妈_____。_____的夜晚，达尔

文常常_____，_____听母亲_____。

4.照例子填空：

méi guī 玫瑰花是好看，		有刺。
	不过	

5.选词语填空：

（1）当时   当地   当然

    这件事发生在六年前，_____的一些情况现在我

已经忘记了。

我们准备登黄山时，在_____找了一个导游。

今晚的舞会是为了庆祝我朋友的生日，我____
要参加。

（2）盛开　开放

花园里果树成行，鲜花_____。

改革_____以来，上海有了很大的变化。

6.朗读课文。

1.写一写：

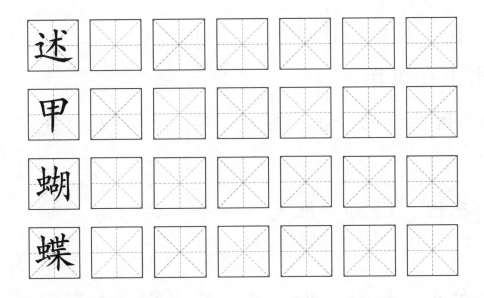

述

甲

蝴

蝶

2.读拼音，写词语：

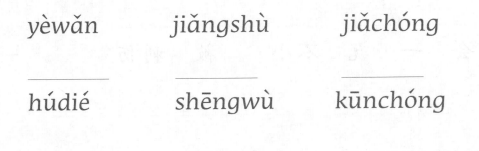

yèwǎn   jiǎngshù   jiǎchóng

_____   _____   _____

húdié   shēngwù   kūnchóng

_____   _____   _____

3.照例子写字，组词语：

例：井→讲→讲话

尔→___→____　　　　成→___→____

若→___→____　　　　术→___→____

胡→___→____　　　　化→___→____

4.照例子，写句子：

例：达尔文　在　英国　出生

<u>达尔文出生在英国。</u>

（1）他　父亲　医生　的　很　当地　有名　一位　是

_____

（2）他们家　花园　门前　很大　一个　的　有

_____

（3）妈妈　达尔文　知识　给　讲　花　了　许多　关于　的

_____

（4）你　它　会　一…就　不小心　被　刺伤

_____

5. 造句：

（1）当地 _____

（2）不过 _____

（3）阅读 _____

（4）描写 _____

6. 阅读短文，判断句子，对的打 "√"，错的打 "×"：

　　一天，达尔文来到一家赌（dǔ）场，看斗鸡比赛。他目不转睛地看着那些公鸡跳上跳下，追来斗去。他专心的样子引起了赌（dǔ）场老板的注意。老板心想：这

个人肯定是个大赌（dǔ）客。于是，他走过来对达尔文说："先生，你要下赌（dǔ）注吗？如果运气好的话，你会赢一大笔钱！"达尔文像没有听见似的，一点儿反应也没有。老板凑到他耳边，把刚才说的话大声地重复了一遍，达尔文这才反应过来。他不好意思地笑了笑，对老板说："我不想下赌（dǔ）注，我是来观察公鸡的。我想知道公鸡扑来斗去时，它的眼睛、脚、毛有什么变化。"

（1）达尔文来到赌（dǔ）场没有看斗鸡比赛。（　　）

（2）达尔文看斗鸡看得很专心。（　　）

（3）达尔文是个大赌（dǔ）客。（　　）

（4）赌（dǔ）场老板让达尔文下赌（dǔ）注，结果达尔文赢了一大笔钱。（　　）

1.写一写：

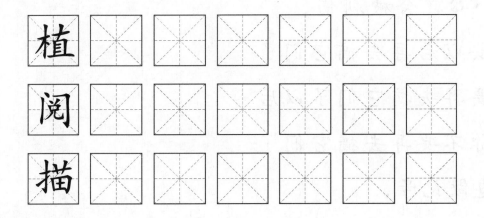

植						
阅						
描						

2.组词语：

植 ⌈（ 　　 ）
　 ⌊（ 　　 ）

描 ⌈（ 　　 ）
　 ⌊（ 　　 ）

阅 ⌈（ 　　 ）
　 ⌊（ 　　 ）

盛 ⌈（ 　　 ）
　 ⌊（ 　　 ）

3.画出下列句中的错别字，把正确的字写在（ ）里：
_{liè}

（1）花园里果树成行鞑花盛开。（ ）（ ）

（2）母亲给他讲述了许多种花的知识。（ ）

（3）他在收集植物标本的时候，也收集了一些小申
虫标本。（ ）（ ）

（4）花园里有色彩艳丽的糊糪。（ ）（ ）

4.读课文，选择正确的答案：
_{xuǎn zé}

（1）你一不小心就会被刺伤，＿＿＿＿＿＿＿＿＿＿。

A.你不要以后再去摘它们了

B.你不要再去摘它们了以后

C.以后你不要再去摘它们了

（2）他边看边做记号，＿＿＿＿＿＿＿＿＿＿。

A.碰到地方的不懂就向人请教

B.碰到不懂的地方就向人请教

C.碰到向人请教的地方不懂就

5.选词语填空：
_{xuǎn}

（1）专心 小心

达尔文常常跟母亲在一起，＿＿＿＿＿听母亲讲述种

花的知识。

你一不_____就会被它刺伤。

（2）讲述　讲解　讲话

校长宣布："现在请家长代表_____。

老师正在给明明_____数学题。

他常常听母亲给他_____种花的知识。

6 .读句子，用句中加点的词语造句：

（1）他收集了许多标本。

_____

（2）他伸手去摘花,哪知道花没摘到,手倒被刺破了。

_____

（3）他边看书边做记号。

_____

（4）达尔文发现了生物进化的规律。

_____

1.写一写：

源						
奥						
律						

2.读拼音，写汉字：

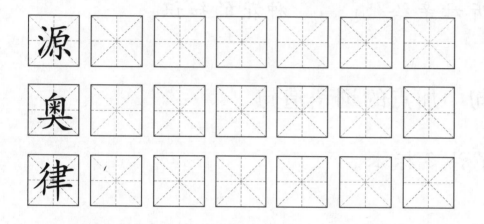

```
yuán                lù              ào
___来            规___           ___秘
  yuán            lù               ǒu
起___           ___色           ___然

yuè              miáo            zhí
音___           拔___助长        一___
  yuè            miáo              zhí
___读           ___写           ___物
```

3.连一连，写一写：

成　原　若　苗　术　胡　某　直　聿

心　扌　皿　氵　虫　彳　辶　虫　木

惹 _____

4.照例子填空：

他	爱收集动植物标本，	还	阅读了许多描写动植物的书。
	不但		

5.改病句：

（1）达尔文连连听了点头。

_____

（2）书包里总是各种各样的装满了动植物标本。

_____

（3）生物他发现了进化的规律。

_____

（4）他伸手去摘花，不知道花没摘到，倒手被刺破了。

_____

（5）妈妈又讲了许多关于花的知识给达尔文。

_____

6.把课文读给爸爸、妈妈听，让他们来评评分：

朗读情况	家长签名
很好□　较好□　一般□	

1.连一连，写一写：

果树　　　　艳丽 _____

鲜花　　　　起源 _____

色彩　　　　成行 _____

物种　　　　盛开 _____

生物 ——— 进化　生物进化 _____

2.比一比，组词语：

[

[

[

[

[

[

3.写出有下列部首的字： ^(liè)

_____ _____ _____

_____ _____ _____

_____ _____ _____

_____ _____ _____

_____ _____ _____

_____ _____ _____

4.读课文，填空：

（1）花园里还有很多_____。达尔文很

喜欢这些_____。他收集了_____

_____，有_____，色彩艳丽

_____和_____。

（2）达尔文经过二十多年的_____，揭开了_____

_____，发现了_____，

写出了一本_____《_____》。

（3）上小学的时候，达尔文的_____里、_____

里总是装满了_____和_____。

5.造句：

夜晚_____

钻研_____

进化_____

科学_____

6.阅读短文，选择正确答案填空：　xuǎn zé

　　达尔文经常到深山老林中去采集生物标本。有一次，他在原始森林中的一棵树上，发现了两只以前从没见过的甲虫，就赶紧将它们捉住，一手抓住一只。忽然，他看见树干上还有一只更加奇特的甲虫，于是就把右手抓住的甲虫放进嘴里，然后去捉树干上的甲虫。哪知道嘴里的甲虫排出一种东西，把他的舌头弄得疼极了。尽管这样，达尔文还是舍不得把它扔掉，而是忍着疼痛把三只甲虫都带回了家。

（1）达尔文在森林中一共发现了_____。

  A.一只甲虫

  B.两只甲虫

  C.三只甲虫

（2）达尔文把右手抓住的甲虫放进嘴里，是因为

_____。

  A.他想吃甲虫

  B.他想用右手爬树

  C.他要用右手去捉树干上的另一只甲虫

（3）这段话告诉我们_____。

  A.达尔文喜欢采集生物标本

  B.达尔文喜欢去山上玩儿

  C.达尔文喜欢捉甲虫玩儿

图书在版编目（CIP）数据

中文　练习册(B)·第八册/中国暨南大学华文学院编.
—广州：暨南大学出版社，2001.7
ISBN 7—81029—703—1

I. 中…
II. 中…
III.对外汉语教学
IV.H195

监　　制：**中华人民共和国国务院侨务办公室**
（中国·北京）
监制人：刘泽彭
电话/传真：0086-10-68320122

编写：暨南大学华文学院
（中国·广州）
电话/传真：0086-20-87206866

出版/发行：暨南大学出版社
（中国·广州）
电话/传真：0086-20-85221583

印制：北京外文印刷厂
1998年7月第1版　　2005年4月第8次印刷
850×1168 1/16